Disney·PIXAR
MONSTRES, INC.

℗ Phidal

© Disney Enterprises, Inc. et Pixar Animation Studios

2001 Éditions Phidal inc.

Publié par les Éditions Phidal inc.

5740 Ferrier, Montréal, Québec, Canada H4P 1M7

Tous droits réservés

Imprimé en Italie

Texte : Frédérique Pelletier-Lamoureux

www.phidal.com

ISBN : 2-7643-0060-3

Phidal bénéficie de l'appui financier de la Société de Développement des Entreprises Culturelles (SODEC).

Ce soir-là, un jeune garçon était blotti dans son lit, quand un bruit le fit tressaillir. Rassemblant tout son courage, il risqua un œil par-dessus les couvertures…

... et poussa un hurlement d'effroi en voyant le monstre qui le menaçait !

« *Bip ! Bip ! Simulation interrompue !* » cracha un haut-parleur. Le garçon – qui n'était en réalité qu'un robot – s'immobilisa. On était en pleine séance de formation des nouvelles recrues de la firme Monstres, inc. !

« Voilà la pire des erreurs ! beugla l'entraîneur en montrant la porte restée ouverte. Le contact des enfants nous est mortel, et l'un d'eux aurait pu entrer ici ! »

Chaque nuit, les membres les plus expérimentés de Monstres, inc. affrontaient le danger pour recueillir des cris d'enfants, qu'on transformait ensuite en énergie afin de faire fonctionner la grande cité de Monstropolis.

Dans le hall de la compagnie, Mike parla à Célia la réceptionniste. Puis, au vestiaire, il subit une mauvaise farce de Randall, un collègue jaloux.

Mike et Sulley se rendirent ensuite au bureau de Roz, une grosse et déplaisante limace chargée de vérifier les rapports de Mike.

La nuit de travail allait commencer, et chacun s'y préparait activement. Randall s'était juré de battre les records établis…

… Mais une fois encore, c'est Sulley qui rapporta le plus de cris. Tout à coup, les émissaires de l'Agence de détection d'enfants envahirent les lieux ! Un des monstres était revenu avec une chaussette d'enfant plaquée sur l'épaule. Les agents, pour le décontaminer, le rasèrent de la tête aux pieds !

Plus tard, en regagnant son poste, Sulley s'aperçut qu'une porte était encore en fonction. C'est alors qu'il entendit une petite voix derrière lui...

Il se retourna et découvrit avec épouvante qu'une fillette s'était introduite dans l'immeuble !

Affolé, Sulley ne savait quoi faire. Enfin, il enfourna la jeune intruse dans un sac, puis se cacha quand Randall entra pour désactiver la porte. Seul Mike pourrait désormais l'aider !

Muni de son bagage, Sulley se précipita au restaurant où dînait Mike, s'approcha de sa table et lui murmura quelques mots… Mais la fillette s'échappa du sac, semant la panique parmi la clientèle !

Sulley et Mike emportèrent l'enfant chez eux avant l'arrivée des agents de détection. Toutes ces péripéties avaient fatigué la petite fille, qui se coucha d'office dans le lit de Sulley…

Celui-ci, la voyant paisiblement endormie, pensa qu'elle n'était peut-être pas si dangereuse. Il décida de la baptiser Boo. Puis il persuada Mike de l'aider à renvoyer l'enfant chez elle.

Le lendemain, Sulley et Mike déguisèrent la fillette et l'amenèrent dans les locaux de Monstres, inc., à la recherche de la bonne porte. Ils en essayèrent plusieurs…

Mais, constatant qu'ils attiraient l'attention, ils feignirent de se livrer à un exercice de routine !

Profitant de la diversion, Boo avait disparu. En la cherchant, Mike rencontra Randall qui, curieusement, promit de mettre la porte voulue à leur disposition, ce qui réglerait le « problème » de tout le monde.

Il s'agissait maintenant de tester la sincérité de Randall...

Mike se risqua lui-même par la porte destinée à Boo… et se vit immédiatement emprisonner. C'était un piège !

Empruntant un passage secret, Sulley et Boo retrouvèrent Mike enchaîné et le délivrèrent. Ils avaient absolument besoin du soutien de Waternoose…

…mais, à leur grande déception, il se révéla impossible de discuter avec lui !

Waternoose garda Boo et expédia ses deux amis chez les humains, dans une contrée glaciale où sévissait l'abominable homme des neiges.

Par chance, les nouveaux venus sympathisèrent plutôt avec l'habitant de l'endroit. Sulley se construisit une luge et descendit au plus proche village, dans l'espoir d'y trouver une porte de placard. Son souhait fut exaucé : par cette porte, il atterrit en plein dans le laboratoire de Randall et sauva Boo de justesse !

Mike réapparut aux côtés de ses amis. Randall les pourchassa, mais ils parvinrent à le neutraliser définitivement. Quant à Waternoose, qui avait imprudemment dévoilé ses plans malhonnêtes, il fut arrêté sur l'ordre de Roz, qui n'était autre qu'un agent secret !

Sulley et Mike dirent adieu à Boo, et l'on détruisit la porte franchie.

Quelques mois plus tard, Sulley dirigeait un nouveau département, celui des rires. Grâce à Boo, il avait découvert que les rires engendraient encore plus d'énergie que les cris !

Mais il s'ennuyait de la fillette… Aussi, quel ne fut pas son bonheur lorsque Mike vint lui offrir la précieuse porte, qu'il avait récupérée et remise en état !

Sulley tourna la poignée et poussa doucement la porte.

« Boo ? » appela-t-il en jetant un regard dans la chambre. La fillette surgit et lui sauta dans les bras. Les deux amis étaient à nouveau réunis !

HISTOIRES MAGIQUES

Disney·PIXAR

MONSTRES, INC.

Avec les « Histoires magiques », tirées des merveilleux
dessins animés de Disney, retrouve tes héros et tes
personnages préférés dans leurs inoubliables aventures!

Phidal

ISBN- 2-7643-0

9 782764 300602